KV-427-617

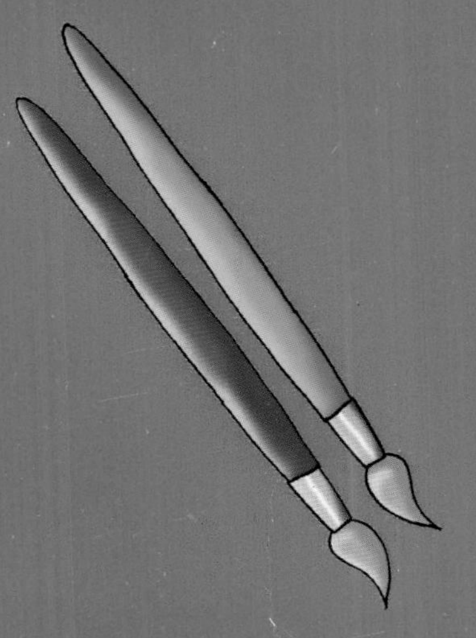

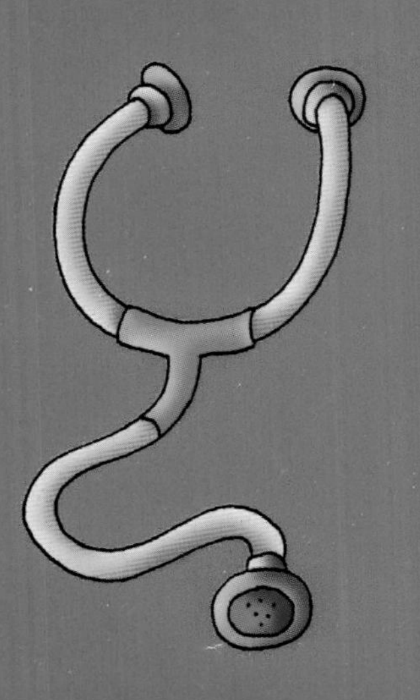

Gdy dorosnę, zostanę ...

gwiazdą rocka

Gdy dorosnę, zostanę...

...klaunem, aby rozśmieszać dzieci! Przykleję sobie sztuczny, czerwony nos, założę za duże buty i zabawne ubranie. Będę mógł wymyślać mnóstwo zabawnych gagów, a nawet wygłupiać się, aby dzieci były roześmiane. Zostanę artystą w prawdziwym cyrku i moje występy będą wszystkich bawiły!

Gdy dorosnę,
zostanę...

...kwiaciarką, by komponować piękne bukiety! Otworzę sklep ze świeżymi, pachnącymi kwiatami w wielu kolorach. Znajdą się tam rośliny cięte i doniczkowe. Klienci będą w mojej kwiaciarni kupować najpiękniejsze róże na szczególne okazje.

Gdy dorosnę,
zostanę...

...hydraulikiem, by zajmować się montażem i naprawą instalacji wodociągowej, kanalizacyjnej i centralnego ogrzewania. Będę pomagać ludziom, gdy ich dom zostanie zalany. W razie potrzeby naprawię zawory i nieszczelne rury, odblokuję kanalizację.

Gdy dorosnę, zostanę...

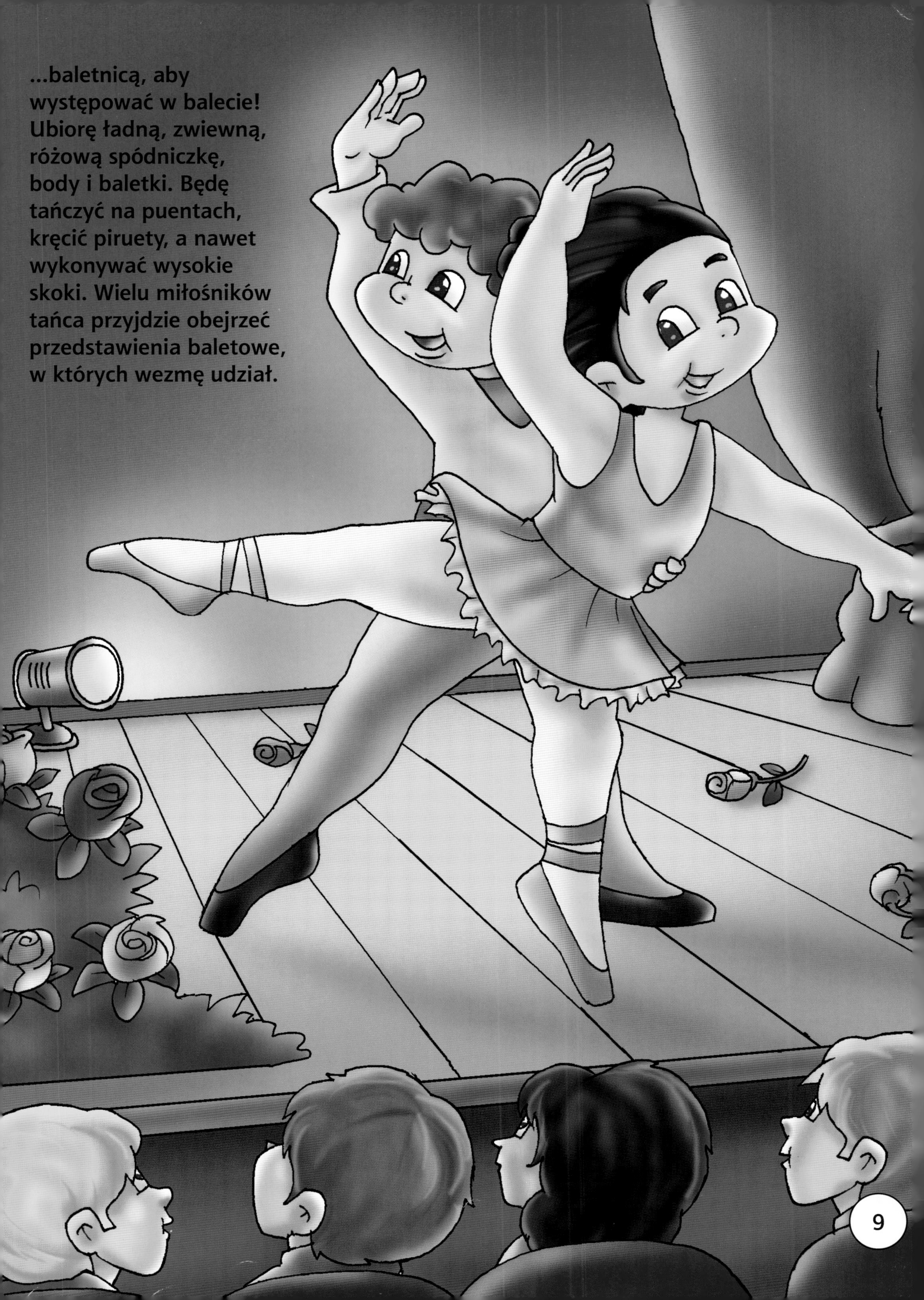

...baletnicą, aby występować w balecie! Ubiorę ładną, zwiewną, różową spódniczkę, body i baletki. Będę tańczyć na puentach, kręcić piruety, a nawet wykonywać wysokie skoki. Wielu miłośników tańca przyjdzie obejrzeć przedstawienia baletowe, w których wezmę udział.

Gdy dorosnę,
zostanę...

...astronautą, ponieważ chciałbym spotkać Marsjan. Założę specjalny skafander kosmiczny i hełm. Będę podróżować rakietą z prędkością światła, spacerować po Księżycu i zwiedzać odległe galaktyki. Nie wybiorę się jednak na Słońce, gdyż jest tam zdecydowanie za gorąco.

Gdy dorosnę, zostanę...

...nauczycielem gimnastyki, ponieważ uwielbiam robić gwiazdę i stać na głowie. Dzięki takiej pracy będę cały dzień w ruchu. Pokażę dzieciom, ale także dorosłym, jak z gracją chodzić po równoważni i prawidłowo wykonać obrót na drążku. W zdrowym ciele zdrowy duch!

Gdy
dorosnę,
zostanę...

...ogrodnikiem, ponieważ uwielbiam drzewa i kwiaty. Zadbam o piękno wielkich i małych, kwitnących i pełnych zieleni ogrodów. Będę wcześnie wstawać i cieszyć się pracą na świeżym powietrzu. Po wykonaniu obowiązków nie zapomnę uporządkować narzędzi ogrodniczych: łopaty, grabi, a także taczki i konewki.

Gdy dorosnę,
zostanę...

...szefem kuchni, ponieważ uwielbiam przygotowywać różne potrawy. Założę czysty fartuch i specjalną białą czapkę kucharza. Każdy chętnie zje posiłek w mojej restauracji, ponieważ będę przyrządzać najlepsze spaghetti z sosem pomidorowym, a także pyszne desery czekoladowe.

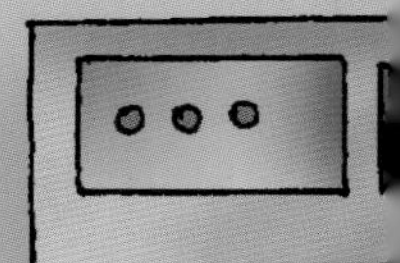

Gdy dorosnę,
zostanę...

...kolarzem, ponieważ uwielbiam kolarstwo! Wyścigi, jazda z górki lub wspinanie się na wzgórza na rowerze to wspaniała zabawa. Codziennie przez wiele godzin z przyjemnością będę trenować ten sport. Na swoim rowerze pierwszy dotrę do mety i wszyscy będą mi gratulować!

Gdy dorosnę, zostanę...

...architektem, by zająć się projektowaniem domów. Dzięki mojej pracy powstanie wiele mieszkań w wieżowcach, a także w mniejszych budynkach oraz urocze drewniane domki jednorodzinne. Będę nadzorować prace i czuwać nad tym, by przebiegały zgodnie z planem. Wchodząc na plac budowy, założę kask ze względów bezpieczeństwa.

Gdy dorosnę,
zostanę...

...informatykiem, ponieważ uwielbiam komputery. Naprawię komputer rodziców, tak że nie będzie się więcej psuł ani zawieszał. Chętnie pomogę innym w korzystaniu z różnych programów i surfowaniu po Internecie.

Gdy dorosnę,
zostanę...

…gwiazdą rocka, ponieważ uwielbiam śpiewać i tańczyć. Nauczę się grać na gitarze elektrycznej, napiszę własne piosenki i zaprezentuję je na koncertach. Nagram też kilka płyt, które staną się hitami i chętnie będę rozdawać autografy.

Gdy dorosnę, zostanę...

...magikiem, aby wyczarowywać króliki z kapelusza! Na mój znak wyfruną z niego także żywe, białe gołębie. Będę nosił wielką pelerynę jak prawdziwy czarodziej. Magiczną różdżką przemienię dziewczyny z mojej klasy w żaby. Wystarczy tylko wypowiedzieć odpowiednie zaklęcie!

Gdy dorosnę,
zostanę...

...farmerką, aby opiekować się zwierzętami! Zamieszkam na wsi, w spokojnej okolicy, z dala od hałasu samochodów przejeżdżających przez miejskie ulice. Będę zbierać zniesione przez kury jajka i doić krowę. Wiem, że hodowla zwierząt wymaga wczesnego wstawania, ale dam sobie radę!

Gdy dorosnę, zostanę...

...archeologiem, aby odkrywać skarby! Będę prowadzić prace wykopaliskowe na różnych terenach. Zajmę się szukaniem klejnotów i złotych monet. Może nawet odkryję kości dinozaurów. Chętnie też zwiedzę inne kraje, szukając ukrytych w ziemi śladów przeszłości.

Gdy dorosnę,
zostanę...

...rysowniczką, ponieważ uwielbiam tworzyć ładne obrazki. Chętnie narysuję szkołę, dom i psa. Moje portrety będą coraz lepsze i na pewno sławne osoby zaczną dla mnie pozować. Chciałabym również tworzyć ilustracje do książek i komiksy. Malowanie kolorowych postaci to wspaniała zabawa!

Gdy dorosnę,
zostanę...

...muzykiem, ponieważ kocham muzykę! Będę grać przede wszystkim na perkusji, ale także na gitarze i na skrzypcach. Zostanę członkiem słynnej orkiestry. Czekają mnie liczne podróże ze znanymi muzykami i koncerty na całym świecie!

Gdy dorosnę, zostanę...

...weterynarzem, ponieważ kocham zwierzęta! Będę leczyć koty, psy, a także chomiki, papugi i złote rybki. Pomogę im, gdy zachorują, opatrzę ich rany, uśmierzę ból. Szybko wrócą do zdrowia i do pełni sił!